Florent Margaillan

Verrines jolies, jolies

Photographies d'Aline Princet

Stylisme de Motoko Okuno

Remerciements de Motoko Okuno

Pour leur vaisselle :
Guy Degrenne - www.guydegrenne.com
Florent Monestier - 47 bis, avenue Bosquet 75007 Paris
Sabre - 4, rue des Quatre-Vents 75006 Paris

ISBN : 978-2-7540-1573-8
Dépôt légal : 1er trimestre 2010
Imprimé en France par Pollina - L52325
Photos © Aline Princet
Édition : Aurélie Starckmann
Conception graphique : Istria
Pictogramme © Pascale Etchecopar

Éditions First
60, rue Mazarine
75006 Paris – France
e-mail : firstinfo@efirst.com
Site internet : www.editionsfirst.fr

Sommaire

Introduction

À leur début les verrines étaient l'apanage des grands restaurants. Aujourd'hui elles se sont démocratisées, et il n'est plus rare de se voir servir des verrines lors d'un dîner entre amis. Le premier effet de mode passé, c'est à leurs nombreux atouts qu'elles doivent leur succès durable : facilité de réalisation, esthétique, préparation à l'avance, et l'on constate que les verrines sont de plus en plus présentes sur nos tables.

Le principe de réalisation des verrines repose sur des jeux de couleurs, de couches, de textures et de saveurs. La verrine ne constitue pas une nouvelle sorte de consommation, elle transforme seulement une vision horizontale de l'assiette en une vision verticale.

Les recettes de ce livre sont facilement réalisables, et ont un temps moyen d'élaboration proche de 20 minutes. Afin d'obtenir des verrines savoureuses et goûteuses, il vous sera proposé une cuisine à base de produits frais.

Le choix des verres a certes son importance pour optimiser la réussite esthétique des verrines, mais n'ayez pas peur d'utiliser toutes sortes de verres, et de laisser libre cours à votre imagination.

Pour finir, je voudrais insister sur ce qui est le plus important à mes yeux : le plaisir. Un repas est un moment de partage et de convivialité, et quels que soient vos talents, n'oubliez pas que ce qui compte, c'est de faire et de se faire plaisir. C'est là que réside la véritable clé du succès !

Bloody mary aux moules

coût peu élevé • très facile à réaliser • préparation : 10 min • pour 4 personnes

1 saladier
4 cure-dents
4 verres

300 g de moules cuites
15 cl de vodka
50 cl de jus de tomate
1 citron
2 cl de Worcestershire sauce
8 gouttes de Tabasco®
sel de céleri
4 tomates cerises
4 feuilles de céleri

Décortiquez les moules, répartissez-les au fond des verres.

Dans un saladier, mélangez le jus de tomate, la vodka, le jus du citron, la Worcestershire sauce, le Tabasco®. Ajoutez le sel de céleri, vérifiez l'assaisonnement. Versez dans les verres.

Réalisez 4 brochettes avec les tomates cerises et les feuilles de céleri, et décorez-en les verrines.

Mousses à la tomate et au basilic

coût peu élevé • facile à réaliser • préparation : 15 min • réfrigération : 1 h • pour 4 personnes

2 saladiers
1 fouet
4 verres

25 cl de sauce tomate
20 cl de crème liquide très froide
2 feuilles de gélatine
80 g de sauce pesto
20 g de pignons de pin
4 feuilles de basilic

Déposez un peu de sauce pesto au fond des verres.

Trempez les feuilles de gélatine dans un grand volume d'eau froide. Montez la crème liquide en chantilly. Faites chauffer au micro-ondes la moitié de la sauce tomate avec la gélatine, puis mélangez avec le restant de la sauce tomate.

Incorporez délicatement la crème montée dans la sauce tomate. Complétez les verrines, faites prendre au réfrigérateur au moins 1 heure. Décorez avec quelques pignons de pin et les feuilles de basilic.

Cappuccinos de lentilles à la noisette

coût moyen • facile à réaliser • préparation : 15 min • cuisson : 25 min • pour 4 personnes

1 casserole
1 saladier
1 mixer plongeant
1 fouet
4 tasses à café en verre

100 g de lentilles
10 g de beurre
1 poireau
1/2 oignon
1/2 carotte
50 cl de bouillon de volaille
25 cl de crème liquide
20 g de poudre de noisettes
4 noisettes
sel fin - poivre du moulin

1 Lavez le poireau, émincez-le, ainsi que le demi-oignon. Faites revenir dans la casserole le demi-oignon avec le beurre, ajoutez le poireau émincé, la carotte coupée en rondelles, assaisonnez. Laissez cuire 2-3 minutes, puis ajoutez les lentilles et le bouillon de volaille. Laissez cuire pendant 20 minutes.

2 Ajoutez 10 cl de crème liquide, mixez. Vérifiez l'assaisonnement. Montez 15 cl de crème liquide en chantilly, ajoutez la poudre de noisettes, assaisonnez.

3 Versez la crème de lentilles chaude aux 4/5 des tasses. Complétez avec la crème montée à la noisette. Dégustez immédiatement !

variante
Remplacez les lentilles par des pois chiches.

 truc de cuisinier
Passez la crème de lentilles au tamis afin d'éliminer la peau des lentilles.

Comme une tomate mozzarella

coût moyen • facile à réaliser • préparation : 20 min • cuisson : 5 min • réfrigération : 1 h •
pour 4 personnes

1 casserole
1 bol
1 mixer
4 verres droits

1 bouquet de basilic
1 feuille de gélatine
4 tomates
1 boule de mozzarella
sel fin

1 Trempez la feuille de gélatine dans un grand volume d'eau froide. Prélevez les feuilles de basilic et réservez-en 4 pour le décor. Portez à ébullition une casserole d'eau, faites cuire les feuilles de basilic pendant 5 minutes. Mixez-les avec 15 cl d'eau de cuisson, ajoutez la gélatine. Réservez.

2 Lavez les tomates, coupez-les en quatre. Retirez les pépins, coupez la chair des tomates en dés. Mettez-les dans un bol, assaisonnez. Réservez.

3 Détaillez la mozzarella en 12 tranches. Découpez dans chaque tranche un disque de mozzarella de la taille du verre.

4 Disposez au fond du verre une couche de tomates, puis une couche de gelée de basilic et un disque de mozzarella. Renouvelez 1 fois l'opération. Réservez au frais au moins 1 heure. Décorez avec une feuille de basilic.

variante
Ajoutez des pignons de pin dans les tomates.

 truc de cuisinier

Détaillez les disques de mozzarella à l'aide des verres : ils auront ainsi une dimension parfaite !

Crèmes légères au saumon fumé et asperges

coût moyen • assez facile à réaliser • préparation : 25 min • cuisson : 5 min • réfrigération : 1 h • pour 4 personnes

1 saladier
1 assiette
1 casserole
1 fouet
4 verres

20 cl de crème liquide très froide

1 botte d'asperges

2 tranches de saumon fumé

1 cuil. à café de persil haché

1 cuil. à soupe d'huile d'olive

4 mini-blinis

sel fin - poivre du moulin

1 Épluchez soigneusement les asperges, coupez les pointes. Faites cuire les queues d'asperges dans de l'eau bouillante salée, en veillant à les garder croquantes. Rafraîchissez-les immédiatement dans de l'eau froide. Détaillez-les en petits cubes. Réservez au frais.

2 Détaillez les pointes d'asperges crues en lamelles dans le sens de la longueur. Disposez-les sur une assiette, ajoutez l'huile d'olive, assaisonnez. Filmez l'assiette. Laissez reposer 1 heure au réfrigérateur.

3 Coupez le saumon fumé en très petits dés. Montez la crème liquide en chantilly, assaisonnez, ajoutez le saumon fumé, les cubes d'asperges et le persil haché. Vérifiez l'assaisonnement.

4 Disposez au fond des verres la crème légère au saumon fumé, ajoutez un blinis, puis le carpaccio d'asperges.

variante
Ajoutez quelques noisettes concassées dans la crème légère.

 ## truc de cuisinier
Servez des blinis faits maison : pour 15 mini-blinis, mélangez 100 g de farine, 100 g de farine de sarrasin avec une cuillerée à café de levure chimique et une pincée de sel. Ajoutez 1 jaune d'oeuf et 25 cl de lait. Déposez à la cuillère à café des petits tas de pâte dans une poêle huilée et faites cuire, 30 secondes par côté.

Croustilles d'avocat, crevettes et sésame

coût moyen • facile à réaliser • préparation : 20 min • cuisson : 8 min • pour 4 personnes

1 bol
1 saladier
4 verres

200 g de crevettes bouquet décortiquées

2 avocats bien mûrs

1/2 citron vert

1 cuil. à café de mayonnaise

1 trait de Tabasco®

5 cl de crème liquide

30 g de pousses germées type alfalfa

sel fin

Pour les tuiles au sésame :

1 blanc d'œuf

45 g de sucre glace

35 g de farine

30 g de beurre

20 g de graines de sésame

1 Mélangez le sucre, le blanc d'œuf, la farine, avec le beurre fondu. Prélevez dans cette pâte 12 disques d'une taille inférieure aux verres et étalez-les sur une plaque recouverte de papier sulfurisé.

2 Parsemez les tuiles avec les graines de sésame. Laissez-les cuire au four à 180 °C (th. 6) pendant 8 minutes environ.

3 Coupez les avocats en deux, retirez les noyaux. Prélevez la chair avec une cuillère et écrasez-la avec une fourchette. Ajoutez le jus du demi-citron vert, le trait de Tabasco®, la mayonnaise, la crème liquide et une pincée de sel fin. Vérifiez l'assaisonnement.

4 Disposez au fond de chaque verre 1 cuillerée de guacamole, quelques crevettes, puis une tuile. Renouvelez 3 fois l'opération. Décorez avec quelques pousses d'alfalfa.

variante
Remplacez les crevettes par des cubes de blanc de poulet.

 truc de cuisinier
Réalisez des tuiles assez fines pour qu'elles soient croustillantes.

Crumbles d'aubergine au chèvre

coût moyen • facile à réaliser • préparation : 15 min • cuisson : 5 min • pour 4 personnes

1 casserole
3 assiettes
4 verres

400 g de caviar d'aubergine

200 g de fromage de chèvre

2 œufs

80 g de farine

80 g de chapelure

50 cl d'huile d'arachide

quelques feuilles de mesclun

Détaillez le fromage de chèvre en cubes de 2 cm de côté.

Cassez et battez les œufs dans une assiette, disposez la farine dans la deuxième assiette, et la chapelure dans la troisième. Roulez les cubes de fromage dans la farine, puis dans l'œuf, et pour finir dans la chapelure. Renouvelez l'opération.

Réchauffez le caviar d'aubergine, répartissez-le au fond des verrines. Faites frire dans l'huile les cubes de fromage de chèvre panés, disposez-les par-dessus le caviar d'aubergine. Décorez avec quelques feuilles de mesclun, servez immédiatement !

Hachis parmentier de canard

coût moyen • facile à réaliser • préparation : 15 min • cuisson : 20 min • pour 4 personnes

1 casserole
4 verres

600 g de pommes de terre

1 gousse d'ail

2 cuisses de canard confit

15 cl de lait

60 g de beurre

un peu de chapelure

sel fin - poivre du moulin

Remplissez une casserole d'eau froide, ajoutez les pommes de terre, la gousse d'ail et salez. Portez à ébullition, laissez cuire pendant 20 minutes environ.

Séparez la viande de canard des os. Effilochez-la, faites-la réchauffer. Épluchez les pommes de terre, écrasez-les à la fourchette avec le beurre et le lait, assaisonnez.

Disposez au fond des verrines une couche de purée de pommes de terre, ajoutez une couche de confit de canard. Renouvelez l'opération, terminez par une couche de purée. Ajoutez un peu de chapelure et servez chaud.

Flans de potiron aux marrons

coût peu élevé • facile à réaliser • préparation : 20 min • cuisson : 35 min • pour 4 personnes

1 casserole
1 poêle
1 mixer plongeant
4 verres allant au four

400 g de potiron
25 cl de lait
15 cl de crème
3 œufs
1 pincée de muscade
80 g de marrons cuits
10 g de beurre
40 g de lardons
sel fin

1 Épluchez le potiron, coupez-le en gros cubes. Dans une casserole, portez à ébullition le lait et la crème, ajoutez les cubes de potiron, la moitié des marrons, la pincée de muscade, assaisonnez. Laissez cuire pendant 15 minutes à feu doux.

2 Vérifiez la cuisson du potiron, mixez, ajoutez les œufs, mélangez.

3 Coupez en quatre le restant des marrons. Faites chauffer votre poêle, ajoutez le beurre, faites revenir les lardons, puis ajoutez les marrons. Laissez cuire pendant 2 minutes. Garnissez le fond des verrines.

4 Versez l'appareil à flan jusqu'aux 2/3 des verrines. Faites cuire au four à 120 °C pendant 20 minutes environ.

variante
Ajoutez au fond des verres quelques noisettes.

 truc de cuisinier
En utilisant du lait entier, vous obtiendrez un flan encore plus crémeux.

Îles flottantes à la courgette et au parmesan

coût moyen • facile à réaliser • préparation : 20 min • cuisson : 15 min • réfrigération : 2 h • pour 4 personnes

1 casserole
1 saladier
1 mixer plongeant
1 poche à douille
4 verres

2 petites courgettes
1 cuil. à soupe d'huile d'olive
1/2 oignon
1 gousse d'ail
40 cl de bouillon de volaille
10 cl de lait
100 g de fromage blanc
1 petit bouquet de basilic
2 blancs d'œufs
50 g de parmesan râpé
sel fin - poivre du moulin

1 Lavez les courgettes, détaillez-les en petits cubes. Dans une casserole, faites revenir l'oignon émincé avec l'huile d'olive, ajoutez les courgettes et faites-les revenir pendant 4 à 5 minutes. Ajoutez la gousse d'ail entière épluchée, le bouillon de volaille et le lait. Laissez cuire à couvert pendant 15 minutes.

2 Mixez la crème de courgette. Réservez au frais pendant au moins 2 heures.

3 Montez les blancs d'œufs en neige, assaisonnez. Recouvrez une assiette de film alimentaire. À l'aide d'une poche à douille, dressez 4 grosses boules de blancs d'œufs sur l'assiette. Passez-la au micro-ondes pendant 30 secondes.

4 Ajoutez le fromage blanc et le basilic ciselé dans la crème de courgette. Garnissez les verrines à mi-hauteur. Roulez les boules de blancs montés dans le parmesan râpé, puis déposez-les dans les verrines.

variante
Ajoutez quelques noix hachées dans les blancs d'œufs montés.

 truc de cuisinier

Filmez l'assiette avant d'y déposer les blancs d'œufs montés pour éviter qu'ils n'attachent et leur conserver une jolie forme.

Mille-feuilles de foie gras à la cerise

coût élevé • facile à réaliser • préparation : 20 min • cuisson : 10 min • pour 4 personnes

1 casserole
1 emporte-pièce de la taille des verres
4 verres fins et hauts

4 tranches de foie gras
4 tranches de pain d'épices
200 g de cerises
1 cuil. à soupe de vinaigre balsamique
1 cuil. à soupe de miel
20 g de beurre
1 échalote
4 cerises fraîches pour le décor

1 Ciselez très finement l'échalote. Dans une casserole, faites revenir l'échalote avec le beurre, ajoutez le miel, les cerises et le vinaigre balsamique. Laissez compoter à feu doux pendant 10 minutes. Réservez au frais.

2 À l'aide d'un emporte-pièce, détaillez 8 disques de foie gras de la taille des verres.

3 Détaillez 8 disques de pain d'épices de la taille des verres. Toastez-les.

4 Disposez au fond des verres une couche de cerises, un disque de pain d'épices, puis un disque de foie gras, renouvelez l'opération 1 fois. Taillez très légèrement le bas des cerises afin qu'elles tiennent à plat. Disposez-les dans vos verrines.

variante
Remplacez les cerises par des fraises.

 truc de cuisinier
Chauffez votre emporte-pièce pour découper plus facilement le foie gras.

Mousses à l'olive noire et magret fumé

coût moyen • facile à réaliser • préparation : 20 min • réfrigération : 1 h • pour 4 personnes

2 bols
1 saladier
1 mixer
1 fouet
4 verres

100 g d'olives noires dénoyautées

2 feuilles de gélatine (4 g)

30 cl de crème liquide

1 petit bouquet de basilic

4 mini-blinis

100 g de magret fumé

4 tomates cerises

1 Trempez les feuilles de gélatine dans un grand volume d'eau froide. Mixez les olives et le basilic avec 15 cl de crème liquide. Faites fondre les feuilles de gélatine au micro-ondes (30 secondes), mélangez avec la purée d'olives.

2 Montez le restant de la crème liquide en chantilly, incorporez-la délicatement à la purée d'olives.

3 Garnissez les verrines à mi-hauteur avec la mousse d'olives. Laissez reposer au frais au moins 1 heure.

4 Ajoutez le blinis. Tranchez très finement le magret fumé, disposez-le en chiffonnade par-dessus le blinis. Décorez avec les tomates cerises.

variante
Remplacez les olives noires par des olives vertes.

 truc de cuisinier

Ne salez pas la mousse d'olives noires : les olives apportent suffisamment de sel.

Crèmes brûlées aux champignons et à la crevette

coût moyen • facile à réaliser • préparation : 15 min • cuisson : 30 min • pour 4 personnes

1 casserole
1 poêle
1 saladier
4 verres allant au four

150 g de champignons frais
100 g de mini-crevettes
30 cl de lait
30 cl de crème liquide
6 jaunes d'œufs
1 cuil. à soupe d'huile d'olive
sel fin - poivre du moulin

Lavez et coupez le pied des champignons, coupez-les en quartiers, puis faites-les revenir à la poêle avec de l'huile d'olive. Disposez au fond des verrines les champignons et les crevettes.

Dans une casserole, portez à ébullition le lait et la crème. Versez-les sur les jaunes d'œufs, mélangez, puis assaisonnez.

Complétez les verrines, laissez cuire au four à 100 °C (th. 3/4) pendant 30 minutes environ. Réservez au frais.

Nota : Si vous disposez d'un chalumeau, saupoudrez très légèrement de sucre cassonade et brûlez la surface.

Verrines à la crevette et à la pomme

coût moyen • facile à réaliser • préparation : 15 min • pour 4 personnes

1 saladier
4 verres

1/2 laitue
1 pomme
1 avocat
150 g de crevettes
2 tranches de saumon fumé
2 cuil. à soupe de mayonnaise
5 cl de lait

Dans un saladier mélangez la mayonnaise avec le lait. Ajoutez la laitue coupée en chiffonnade, mélangez.

Épluchez la pomme, coupez-la en petits morceaux. Faites de même avec l'avocat. Gardez 4 morceaux de saumon fumé pour le décor et coupez le reste en fines lamelles. Décortiquez les crevettes, coupez-les en deux.

Ajoutez la pomme, l'avocat, le saumon fumé et les crevettes à la salade, mélangez. Garnissez les verrines, décorez avec les morceaux de saumon fumé.

Panna cotta aux poivrons

coût peu élevé • facile à réaliser • préparation : 20 min • cuisson : 10 min • réfrigération : 2 h • pour 4 personnes

2 casseroles
1 passoire fine
1 mixer plongeant
4 verres

2 poivrons verts
2 poivrons rouges
2 cuil. à soupe d'huile d'olive
20 cl de lait
20 cl de crème liquide
2 feuilles de gélatine (4 g)
sel fin

1 Trempez les feuilles de gélatine dans un grand volume d'eau froide.

2 Lavez les poivrons, épépinez-les, puis coupez-les en petits dés. Faites revenir dans une casserole les poivrons rouges avec 1 cuillerée d'huile d'olive, assaisonnez, laissez cuire à feu doux pendant 10 minutes. Incorporez une feuille de gélatine, ajoutez 10 cl de lait et 10 cl de crème, mixez et versez à travers la passoire fine afin d'enlever les petits morceaux de peau.

3 Faites de même avec le poivron vert.

4 Versez dans les verrines une couche de panna cotta au poivron rouge, réservez au frais au moins 1 heure, puis ajoutez la couche de panna cotta au poivron vert. Réservez au frais encore au moins 1 heure.

variante
Ajoutez des petits dés de poivron vert cuit au fond des verrines.

 truc de cuisinier
Versez la panna cotta dans les verres à l'aide d'un entonnoir afin d'éviter les éclaboussures.

Petites salades de blé au jambon cru

coût moyen • facile à réaliser • préparation : 20 min • cuisson : 15 min • pour 4 personnes

2 casseroles
1 saladier
4 verres

150 g de blé

12 œufs de caille

30 g de tomate confite

2 tranches de jambon cru

2 cuil. à soupe de mayonnaise

1 cuil. à café d'huile de noix

quelques feuilles de basilic

4 tomates cerises

un peu de roquette

sel fin

1 Faites cuire le blé dans un grand volume d'eau bouillante salée pendant 12 minutes environ. Vérifiez la cuisson, égouttez le blé et passez-le sous l'eau froide. Réservez au frais.

2 Laissez cuire les œufs de caille pendant 4 minutes dans une casserole d'eau bouillante, refroidissez-les immédiatement. Écalez-les et coupez-les en deux. Réservez au frais.

3 Coupez la tomate confite en petits dés. Coupez le jambon cru en fines lamelles.

4 Dans un saladier mélangez la mayonnaise avec l'huile de noix, les dés de tomate et le basilic ciselé. Ajoutez le blé, mélangez, puis ajoutez le jambon cru et les demi-œufs de caille. Garnissez vos verrines, décorez d'un petit bouquet de roquette.

variante
Remplacez le jambon cru par de petites crevettes.

 truc de cuisinier

Faites confire vos tomates vous-même : plongez les tomates dans l'eau bouillante pendant 10 secondes, épluchez-les, coupez-les en quatre, retirez les pépins. Disposez les quartiers dans un plat à tarte, assaisonnez en sel et poivre, ajoutez un trait d'huile d'olive et une pincée de sucre. Faites cuire au four à 100 °C (th. 3/4) pendant une heure.

Petites salades de quinoa au poivron

coût moyen • facile à réaliser • préparation : 20 min • cuisson : 15 min • pour 4 personnes

2 casseroles
1 saladier
4 verres

150 g de quinoa

1/2 poivron vert

100 g de tomates cerises

50 g d'olives noires à la grecque

1/2 citron

3 cuil. à soupe d'huile d'olive

quelques feuilles de mâche

sel fin

1 Faites cuire le quinoa dans de l'eau bouillante salée pendant 10 minutes environ, vérifiez la cuisson, refroidissez immédiatement. Réservez au frais.

2 Découpez le poivron vert en très petits cubes, faites-les revenir dans une casserole avec 1 cuillerée à soupe d'huile d'olive, assaisonnez. Dénoyautez les olives, coupez-les en deux, puis coupez en quatre les tomates cerises.

3 Dans un saladier, mélangez 2 cuillerées à soupe d'huile d'olive avec le jus du demi-citron. Ajoutez le quinoa, le poivron, les tomates cerises et les olives. Mélangez, assaisonnez.

4 Garnissez les verrines, décorez avec les feuilles de mâche.

variante
Ajoutez un peu de jambon cru émincé dans la salade.

 truc de cuisinier
Ajoutez de la fleur de sel pour apporter un petit peu de craquant.

Crèmes de céleri et boudin noir

coût moyen • facile à réaliser • préparation : 20 min • cuisson : 15 min • pour 4 personnes

2 casseroles
1 poêle
1 mixer
4 verres

1/2 céleri-rave
300 g de boudin noir
20 g de beurre
15 cl de crème liquide
sel fin - poivre du moulin

1 Lavez et épluchez le céleri-rave. Détaillez-le en gros cubes. Faites-le cuire dans une casserole d'eau bouillante salée pendant 5 minutes. Égouttez-le.

2 Dans une casserole faites revenir le céleri avec le beurre pendant 2 à 3 minutes, ajoutez la crème liquide, mixez, puis assaisonnez.

3 Faites revenir à la poêle le boudin noir, 5 minutes par côté. Découpez-le en rondelles.

4 Disposez au fond des verrines une rondelle de boudin noir, puis une couche de crème de céleri, renouvelez l'opération 1 fois. Servez chaud.

variante
Mélangez la crème de céleri avec de la fondue de poireaux.

 truc de cuisinier
Réalisez les verrines à l'avance et faites-les réchauffer au micro-ondes.

Salade de roquette aux pommes

coût peu élevé • facile à réaliser • préparation : 15 min • cuisson : 10 min • pour 4 personnes

1 saladier
1 poêle
4 verres

120 g de roquette
2 pommes
50 g de raisins secs
50 g de noix
10 cl de cidre
20 g de beurre
1 cuil. à soupe d'huile
de noix
1 cuil. à café de vinaigre
de cidre
sel fin

Épluchez les pommes, coupez-les en dés. Faites chauffer la poêle, ajoutez le beurre et faites revenir les pommes. Ajoutez le cidre et les raisins secs, faites revenir pendant 5 minutes. Réservez au frais.

Dans un saladier, mélangez l'huile de noix avec le vinaigre de cidre, assaisonnez. Ajoutez la roquette et les noix, mélangez.

Garnissez le fond des verres avec les pommes, puis complétez les verrines avec la roquette.

Gaspacho poivron et framboises

coût moyen • très facile à réaliser • préparation : 10 min • cuisson : 1 h • pour 4 personnes

1 mixer
1 passoire fine
4 verres

4 poivrons rouges
400 g de framboises
1 pincée de piment
d'Espelette
10 cl de jus de tomate
1/2 citron

Lavez les poivrons. Enveloppez-les un par un dans du papier aluminium. Faites-les cuire pendant 1 heure au four à 180 °C (th. 6). Laissez-les refroidir un peu, retirez la peau, coupez-les en deux, épépinez-les.

Mixez les poivrons avec les framboises, le jus du demi-citron, le jus de tomate et la pincée de piment d'Espelette. Passez le tout à la passoire fine.

Versez le gaspacho dans vos verrines, décorez avec une framboise.

Terrines de légumes à la ricotta

coût moyen • facile à réaliser • préparation : 20 min • cuisson : 10 min • réfrigération : 2 h • pour 4 personnes

1 casserole

1 poêle

1 mixer plongeant

4 verrines droites (4 cm de diamètre environ)

200 g de ricotta

200 g de lait

2 feuilles de gélatine (4 g)

1 petit bouquet de basilic

1 courgette

1 aubergine

2 cuil. à soupe d'huile d'olive

1 boîte de piquillos

sel fin

4 feuilles de basilic

1 Lavez la courgette et l'aubergine. Détaillez-les en fines rondelles, assaisonnez-les, puis faites-les revenir séparément à la poêle avec l'huile d'olive. Débarrassez-les sur un papier absorbant.

2 Trempez les feuilles de gélatine dans un grand volume d'eau froide. Portez à ébullition le lait, ajoutez la ricotta, portez à frémissement. Mixez, ajoutez 5 feuilles de basilic ciselées, puis la gélatine.

3 Détaillez 12 disques de piquillos de la taille des verres.

4 Disposez au fond de chaque verre des rondelles de courgette et d'aubergine, puis un disque de piquillos. Coulez une fine couche de crème de ricotta. Renouvelez l'opération 3 fois. Laissez prendre au frais au moins 2 heures. Décorez avec les feuilles de basilic.

variante

Ajoutez des pignons de pin aux légumes : ils apporteront un peu de croquant à vos verrines.

 truc de cuisinier

Les piquillos sont de petits piments doux et parfumés, d'origine basque. Détaillez les disques de piquillos à l'aide des verrines afin que la gelée de ricotta de coule pas entre les couches.

Salade de fèves fraîches aux lardons

coût moyen • facile à réaliser • préparation : 15 min • cuisson : 5 min • pour 4 personnes

1 casserole
1 saladier
1 poêle

1 kg de fèves fraîches
100 g de lardons
1/2 échalote
1 cuil. à café de ciboulette
1 cuil. à café de vinaigre balsamique
1 cuil. à soupe d'huile d'olive
4 pluches de persil
sel fin - poivre du moulin

Écossez les fèves. Faites-les cuire dans une casserole d'eau bouillante salée, en veillant à les garder bien croquantes. Refroidissez-les immédiatement dans de l'eau froide. Retirez la peau des fèves.

Faites bien revenir les lardons à la poêle. Ciselez très finement l'échalote. Dans un saladier mélangez l'huile d'olive avec le vinaigre balsamique, l'échalote et la ciboulette, puis ajoutez les fèves et les lardons. Mélangez, vérifiez l'assaisonnement.

Garnissez vos verrines avec la salade de fèves, décorez avec les pluches de persil.

Salade d'endives à l'orange

coût peu élevé • facile à réaliser • préparation : 10 min • pour 4 personnes

1 saladier
4 verres

2 endives
2 oranges
50 g de pistaches
un peu de safran
1 cuil. à soupe d'huile de noix
sel fin - poivre du moulin

Lavez les endives, coupez-les en deux dans le sens de la longueur, puis émincez-les finement. Pelez à vif les oranges, prélevez les segments, coupez-les en trois. Récupérez le jus des oranges.

Dans un saladier, mélangez le jus d'orange récupéré avec le safran et l'huile de noix, ajoutez les endives et les pistaches, assaisonnez.

Garnissez les verrines.

Terrines de lentilles corail au saumon

coût moyen • facile à réaliser • préparation : 20 min • cuisson : 15 min • réfrigération : 1 h • pour 4 personnes

2 casseroles
1 saladier
4 verres

150 g de lentilles corail
50 g de petits pois cuits
100 g de saumon
1/2 échalote
1 cuil. à café de ciboulette ciselée
50 cl de gelée au madère

1 Remplissez une casserole d'eau froide, ajoutez les lentilles, portez à ébullition, laissez cuire pendant 15 minutes environ. Refroidissez les lentilles immédiatement. Égouttez-les.

2 Découpez le saumon en cubes d'1 cm de côté. Portez à frémissement une casserole d'eau. Faites pocher le saumon dans l'eau pendant 2 à 3 minutes. Réservez.

3 Dans un saladier, mélangez l'échalote ciselée avec la ciboulette, les lentilles corail et les petits pois. Ajoutez les cubes de saumon, mélangez délicatement.

4 Garnissez vos verrines, tassez légèrement, puis complétez à hauteur avec la gelée au madère. Faites prendre au moins 1 heure au réfrigérateur.

variante
Ajoutez quelques petites crevettes !

 truc de cuisinier
Faites cuire le saumon dans du fumet de poisson, pour en relever le goût.

Tians de légumes provençaux

coût peu élevé • facile à réaliser • préparation : 20 min • cuisson : 15 min • pour 4 personnes

1 casserole
1 poêle
4 verres

1 courgette

1 aubergine

10 cl de sauce tomate

1 oignon

3 cuil. à soupe d'huile d'olive

herbes de Provence

4 petites têtes de romarin

1 Ciselez l'oignon. Faites-le revenir dans une casserole avec 1 cuillerée à soupe d'huile d'olive, ajoutez quelques herbes de provence. Laissez compoter à feu doux pendant 10 minutes.

2 Détaillez la courgette en fines rondelles. Faites-les revenir à la poêle avec 1 cuillerée à soupe d'huile d'olive. Procédez de même avec l'aubergine.

3 Déposez au fond des verres un peu de compotée d'oignons, ajoutez successivement quelques tranches d'aubergine et de courgette, puis une fine couche de sauce tomate. Renouvelez l'opération 2 fois. Décorez avec une petite tête de romarin. Servez chaud !

variante
Ajoutez quelques tranches de chorizo au milieu des légumes.

 truc de cuisinier
Réalisez vos verrines à l'avance et faites-les réchauffer au micro-ondes.

Petits pois au jambon cru et pop-corn

coût moyen • facile à réaliser • préparation : 20 min • cuisson : 10 min • pour 4 personnes

2 casseroles
1 poêle
4 verres

50 g de maïs à pop-corn

1 cuil. à soupe d'huile d'arachide

1 noisette de beurre

1/4 d'oignon

1 cuil. à soupe d'huile d'olive

200 g de petits pois cuits

150 g de champignons frais

2 tranches de jambon cru

10 cl de jus de viande

sel fin

1 Faites chauffer une casserole, ajoutez l'huile d'arachide, les pop-corn et du sel. Couvrez, faites sauter les pop-corn.

2 Lavez et coupez le pied des champignons, coupez-les en quartiers. Chauffez votre poêle, ajoutez l'huile d'olive et faites sauter les champignons. Assaisonnez.

3 Émincez l'oignon, faites-le revenir avec le beurre, ajoutez les petits pois et le jambon cru taillé en fines lamelles. Faites bien revenir le tout.

4 Réchauffez le jus de viande, disposez le mélange petits pois, champignons et jambon cru au fond des verres. Complétez les verrines avec les pop-corn. Ajoutez un peu de jus de viande par-dessus les pop-corn. Servez chaud !

variante
Remplacez le jambon cru par du chorizo.

 truc de cuisinier
Remuez énergiquement la casserole lors de la cuisson des pop-corn afin qu'ils ne brûlent pas.

Abricots rôtis au romarin, mousse au yaourt

coût moyen • facile à réaliser • préparation : 20 min • cuisson : 5 min • réfrigération : 1 h • pour 4 personnes

1 poêle
2 saladiers
1 fouet
4 verres ovales

6 abricots

2 cuil. à soupe de miel

1 branche de romarin

2 yaourts

15 cl de crème liquide très froide

20 g de sucre

1,5 feuille de gélatine (3 g)

4 petites têtes de romarin

1 Lavez les abricots, coupez-les en six. Chauffez votre poêle, ajoutez le miel, puis les abricots et la branche de romarin. Faites bien revenir les abricots.

2 Retirez la branche de romarin. Réservez l'équivalent de 2 abricots. Garnissez le fond des verrines avec le restant des abricots.

3 Trempez les feuilles de gélatine dans un grand volume d'eau froide. Montez la crème liquide en chantilly. Mélangez dans un saladier le yaourt avec le sucre, ajoutez la gélatine fondue au micro-ondes (30 secondes), puis mélangez délicatement avec la chantilly. Complétez les verrines avec la mousse. Réservez au frais au moins 1 heure.

4 Mixez les abricots mis de côté, filtrez, puis ajoutez ce coulis par-dessus la mousse. Décorez avec une petite tête de romarin.

variante
Vous pouvez remplacer le romarin par de la verveine.

 truc de cuisinier

Mettez la crème liquide, ainsi que votre saladier, 10 minutes au congélateur avant de la monter en chantilly.

Cappuccinos à la noisette

coût peu élevé • facile à réaliser • préparation : 20 min • cuisson : 5 min • réfrigération : 1 h • pour 4 personnes

1 casserole

1 bol

1 fouet

4 tasses à café en verre (5 cm de hauteur)

25 cl de lait

80 g de sucre

4 jaunes d'œufs

10 g de café soluble

50 g de beurre

40 g de noisettes

20 cl de crème liquide

15 g de sucre vanillé

20 g de poudre de noisettes

1 cuil. à café de cacao

1 Dans un bol, mélangez les jaunes d'œufs avec le sucre. Dans une casserole, portez à ébullition le lait, puis versez-le sur les œufs et le sucre. Portez le tout à frémissement, ajoutez le café soluble, puis le beurre, mélangez.

2 Versez le crémeux au café aux trois quarts de la hauteur dans les tasses.

3 Réservez 4 noisettes pour le décor. Concassez les autres. Ajoutez-les dans les tasses. Réservez le tout au réfrigérateur.

4 Montez la crème liquide en chantilly (attention à ne pas trop la monter, elle doit rester bien crémeuse), ajoutez le sucre vanillé et la poudre de noisettes. Complétez les verrines. Saupoudrez légèrement de cacao, décorez avec une noisette entière.

variante
Remplacez la noisette par de la cacahuète.

 truc de cuisinier

Mixez le crémeux au café afin d'éliminer d'éventuels grumeaux dus à une surcuisson. La crème Chantilly doit rester très souple pour imiter la nage de lait d'un cappuccino, et être déposée simplement à la cuillère.

Charlottes régressives à la fraise

coût peu élevé • facile à réaliser • préparation : 20 min • réfrigération : 1 h • pour 4 personnes

1 casserole
1 saladier
1 mixer plongeant
1 fouet
4 verres

1 paquet de biscuits à la cuiller

5 cl de sirop à la fraise

100 g de fraises

50 g de bonbons fraise

25 cl de crème liquide

Coupez les biscuits en deux. Imbibez-les légèrement de sirop à la fraise dilué dans de l'eau. Disposez les biscuits contre la paroi du verre.

Lavez les fraises et coupez-les en quartiers. Gardez-en 4 pour le décor. Portez à ébullition la moitié de la crème, ajoutez les bonbons fraise, mixez.

Montez le restant de la crème en chantilly, ajoutez-la délicatement au mélange bonbons et crème. Ajoutez les quartiers de fraises à la mousse.

Garnissez les verrines avec la mousse. Laissez-les prendre au frais 1 heure. Décorez avec un quartier de fraise et un bonbon fraise.

Crumbles de poires au safran

coût moyen • très facile à réaliser • préparation : 15 min • cuisson : 25 min • pour 4 personnes

1 saladier
1 plat allant au four
1 poêle
papier sulfurisé
4 verres

4 poires - un peu de safran

1 cuil. à soupe de cassonade

20 g de beurre

1 bombe de crème Chantilly

Pour le crumble :

50 g de beurre

30 g de sucre glace

30 g de farine

30 g de poudre d'amandes

Confectionnez le crumble : mélangez du bout des doigts le beurre avec la farine, le sucre glace et la poudre d'amandes. Émiettez cette pâte sur un plat recouvert d'un papier sulfurisé. Faites-la cuire pendant 12 minutes environ au four à 180 °C (th. 6). Laissez refroidir.

Lavez et épluchez les poires. Détaillez les cubes. Chauffez votre poêle, ajoutez le beurre et la cassonade, puis les poires et le safran. Laissez compoter à feu doux pendant 10 minutes. Laissez refroidir.

Déposez au fond des verres les poires, une couche de chantilly, et le crumble pour finir.

Comme une forêt-noire

coût moyen • facile à réaliser • préparation : 20 min • cuisson : 5 min • pour 4 personnes

1 casserole
1 poche à douille
cannelée
1 fouet
4 verres

4 cuil. à café de confiture
de cerises

4 tranches de brioche

1 cuil. à soupe de cacao

60 g de sucre

60 g de cerises amarena

20 cl de crème liquide
très froide

15 g de sucre vanillé

4 cuil. à café de pâte à
tartiner à la noisette

20 g de chocolat noir

1 Détaillez 4 disques de brioche de la taille des verres. Dans une casserole, portez à ébullition 25 cl d'eau, ajoutez le sucre et le cacao. Imbibez légèrement les disques de brioche.

2 Déposez au fond de chaque verre 1 cuillerée de confiture de cerises. Montez la crème liquide en chantilly, ajoutez le sucre vanillé. À l'aide de la poche à douille, déposez une première couche de crème Chantilly. Ajoutez des cerises amarena, puis le disque de brioche.

3 Déposez sur la brioche 1 cuillerée à café de pâte à tartiner, puis une deuxième couche de chantilly, des cerises amarena. Réalisez des copeaux de chocolat à l'aide d'un couteau Économe. Décorez !

variante
Remplacez les cerises par des framboises.

 ## truc de cuisinier
Pour remplir votre poche à douille facilement, retournez votre poche à mi-hauteur, et bloquez la pointe de la douille en faisant un pli à l'extrémité de la poche, afin que la mousse ne ressorte pas lorsque vous la remplissez.

Brownie et compotée de mangue safranée

coût moyen • facile à réaliser • préparation : 20 min • cuisson : 10 min • réfrigération : 1 h • pour 4 personnes

2 saladiers
1 casserole
1 bol
1 plaque allant au four
papier sulfurisé
4 verres

1 grosse mangue
10 cl de jus de fruits multivitaminé
50 g de sucre
un peu de safran

Pour le brownie :
200 g de chocolat noir
150 g de beurre
3 œufs
100 g de sucre
60 g de farine
50 g de noix

1 Lavez et épluchez la mangue. Détaillez-la en cubes, réservez-les dans un bol. Dans une casserole, faites chauffer le jus de fruits avec le sucre, ajoutez le safran, puis versez le liquide chaud sur les dés de mangue. Laissez mariner 1 heure au réfrigérateur.

2 Faites fondre le chocolat au bain-marie, ajoutez le beurre et laissez-le fondre avec le chocolat, mélangez. Dans un saladier, mélangez les œufs avec le sucre, ajoutez la farine. Incorporez le mélange chocolat et beurre, ajoutez les noix hachées.

3 Étalez finement (moins d'1 cm) la pâte à brownies sur une plaque recouverte d'une feuille de papier sulfurisé. Laissez cuire au four à 180 °C (th. 6) pendant 10 minutes environ. Laissez refroidir.

4 Détaillez dans le brownie 8 disques de la taille des verres. Déposez au fond des verres un brownie, puis une couche de mangue. Renouvelez 1 fois l'opération.

variante
Remplacez la mangue par de l'ananas, et le safran par de la coriandre.

 truc de cuisinier
Ne mettez pas tout le jus de marinade dans vos verres afin de ne pas trop imbiber les brownies.

Mandarines et croquants aux fruits secs

coût moyen • facile à réaliser • préparation : 20 min • cuisson : 37 min • pour 4 personnes

1 casserole
1 saladier
1 plaque allant au four
papier sulfurisé
4 verres

6 mandarines
1 gousse de vanille
100 g de sucre
200 g de fromage blanc
60 g de beurre
60 g de sucre cassonade
20 g de pistaches
40 g de noisettes hachées
50 g d'amandes effilées

1 Dans un saladier, mélangez le beurre pommade avec le sucre cassonade, ajoutez délicatement les pistaches, les noisettes et les amandes effilées. Étalez cet appareil sur une plaque recouverte de papier sulfurisé, laissez cuire au four à 180 °C (th. 6) pendant 12 minutes environ.

2 Lavez les mandarines, détaillez-en 5 en fines lamelles (avec la peau). Dans une casserole, mettez-les avec le sucre et la gousse de vanille, fendue en deux et grattée. Laissez compoter pendant 25 minutes à feu doux.

3 Garnissez le fond des verrines avec la moitié de la compotée de mandarines. Cassez le croquant aux fruits secs en gros morceaux. Ajoutez par-dessus de le reste de la compotée.

4 Ajoutez une couche de fromage blanc. Décorez avec un segment de mandarine.

variante
Remplacez le fromage blanc par un mélange mascarpone et yaourt (le mascarpone seul est trop épais).

 truc de cuisinier
Ne sucrez pas le fromage blanc, pour créer un contraste avec la compotée de mandarines et que l'ensemble ne soit pas trop sucré.

Crumbles à la figue et à la framboise

coût moyen • facile à réaliser • préparation : 20 min • cuisson : 20 min • pour 4 personnes

1 poêle
1 saladier
4 verres allant au four

6 figues fraîches
125 g de framboises
10 g de beurre
20 g de cassonade

Pour le crumble :
60 g de beurre
40 g de sucre glace
40 g de farine
40 g de poudre d'amandes

1 Lavez les figues, coupez-les en quatre. Faites chauffer votre poêle, ajoutez le beurre, puis les quartiers de figues et le sucre. Laissez cuire à feu doux pendant 5 minutes, puis ajoutez les framboises et poursuivez la cuisson pendant 2 minutes.

2 Garnissez le fond des verres avec ce mélange.

3 Du bout des doigts, mélangez le beurre avec le sucre glace, puis ajoutez la farine et la poudre d'amandes. Vous devez obtenir de petits granulés.

4 Déposez le crumble sur le mélange figues et framboises. Faites cuire au four à 180 °C (th. 6) pendant 15 minutes environ. Dégustez tiède avec de la chantilly.

variante

Ajoutez au mélange figues et framboises quelques morceaux de noix.

 truc de cuisinier

Attention, vos verrines doivent supporter une température élevée !

Framboisiers à la pistache

coût moyen • facile à réaliser • préparation : 20 min • cuisson : 10 min • réfrigération : 1 h • pour 4 personnes

1 casserole
2 saladiers
4 verres

1 feuille de gélatine (2 g)
15 cl de crème liquide très froide
4 tranches de brioche
200 g de framboises
50 g de pâte d'amandes rose

Pour la crème pâtissière :
25 cl de lait
3 jaunes d'œufs
80 g de sucre
40 g de fécule de maïs
1 gousse de vanille
1 cuil. à soupe de pâte de pistaches

1 Dans une casserole, portez à ébullition le lait avec la gousse de vanille fendue en deux et grattée. Retirez la gousse de vanille. Versez le lait sur les jaunes d'œufs mélangés avec le sucre et la fécule de maïs. Portez de nouveau à ébullition, ajoutez la pâte de pistaches. Débarrassez dans un saladier, filmez et réservez au frais au moins 1 heure.

2 Découpez 4 disques de brioche de la taille des verres, déposez un disque au fond de chaque verre, puis quelques framboises. Détaillez 4 disques de pâte d'amandes et réservez.

3 Trempez dans un grand volume d'eau froide la feuille de gélatine. Montez la crème liquide en chantilly. Fouettez énergiquement la crème pâtissière pour la rendre lisse, ajoutez la feuille de gélatine fondue au micro-ondes. Puis incorporez délicatement la crème Chantilly.

4 Dans les verres, ajoutez une couche de crème légère à la pistache, puis quelques framboises, terminez par un disque de pâte d'amandes. Décorez avec une framboise.

variante
Ajoutez à la crème légère des pistaches concassées.

 truc de cuisinier

Pour réussir la crème légère, attendez que la crème pâtissière soit bien froide avant d'y incorporer délicatement la chantilly.

Mille-feuilles tout chocolat

coût moyen • facile à réaliser • préparation : 20 min • pour 4 personnes

1 casserole
1 bol
2 saladiers
1 fouet
1 poche à douille
4 verres fins et hauts

100 g de chocolat blanc
120 g de chocolat noir
20 cl de crème liquide très froide
2 œufs
20 g de sucre

1 Faites fondre le chocolat blanc au bain-marie. Étalez-le finement sur une feuille de papier sulfurisé. Quand le chocolat commence à se solidifier, détaillez 16 disques de la taille des verres. Laissez le chocolat durcir. Détachez les 16 disques.

2 Faites fondre le chocolat noir au bain-marie. Séparez les blancs d'œufs des jaunes. Mélangez les jaunes d'œufs avec le chocolat fondu. Montez les blancs d'œufs en neige, ajoutez le sucre, incorporez délicatement au mélange chocolat et jaunes d'œufs.

3 Montez la crème liquide en chantilly, incorporez-la délicatement à la mousse.

4 À l'aide de la poche à douille déposez au fond des verres une couche de mousse au chocolat, puis ajoutez un disque de chocolat blanc. Renouvelez l'opération 3 fois.

variante
Ajoutez des noisettes concassées dans la mousse au chocolat.

 **truc de cuisinier**
Étalez le chocolat finement pour qu'il se casse facilement lors de la dégustation.

Verrines spéculoos et framboises

coût peu élevé • facile à réaliser • préparation : 15 min • pour 4 personnes

1 saladier
1 bol
4 verres

150 g de framboises
1/2 citron
200 g de fromage blanc
2 cuil. à café de miel
6 spéculoos

Réservez 4 framboises pour le décor. Dans un bol, écrasez à la fourchette la moitié des framboises avec 1 cuillerée à café de miel et un peu de jus de citron. Dans un saladier mélangez le fromage blanc avec 1 cuillerée à café de miel.

Disposez au fond de vos verres le mélange framboises/miel, ajoutez une couche de fromage blanc. Déposez par-dessus un peu de biscuit émietté. Ajoutez une couche de framboises entières, la tête en bas.

Complétez la verrine avec le fromage blanc. Terminez par des brisures de spéculoos. Décorez avec une framboise.

Panna cotta aux fruits rouges

coût peu élevé • facile à réaliser • préparation : 15 min • cuisson : 5 min • réfrigération : 2 h • pour 4 personnes

1 saladier
1 casserole
1 fouet
4 verres

30 cl de crème
20 cl de lait
1 gousse de vanille
2 feuilles de gélatine (4 g)
25 g de sucre cassonade
15 cl de coulis de fruits rouges
4 chouquettes

Mettez la gélatine à tremper dans un saladier d'eau froide.

Dans une casserole, faites bouillir le lait avec la crème, le sucre et la gousse de vanille fendue en deux et grattée. Ajoutez la gélatine bien essorée. Mélangez au fouet, retirez la gousse de vanille.

Versez la panna cotta à mi-hauteur des verres. Laissez reposer au moins 2 heures au frais.

Une fois les panna cotta prises, ajoutez une petite couche de coulis de fruits rouges. Pour finir, déposez une chouquette.

Comme une piña colada

coût moyen • facile à réaliser • préparation : 20 min • cuisson : 5 min • congélation : 2 h • pour 4 personnes

2 casseroles
1 bol
1 plat large
4 verres tumbler

1/2 ananas
1/2 citron vert
15 cl de lait de coco
1 cuil. à soupe de cassonade
10 cl de crème
2 feuilles de gélatine (4 g)

Pour le granité :
1 citron jaune
10 cl de rhum brun
30 cl d'eau
50 g de sucre cassonade

1 Dans une casserole, portez à ébullition l'eau, ajoutez le sucre cassonade, le jus du citron et le rhum. Débarrassez dans un plat large. Mettez au congélateur, grattez à la fourchette ou remuez au fouet régulièrement afin que se forment de fines paillettes.

2 Découpez l'ananas en petits cubes de 3 mm de côté. Mélangez-les dans un bol avec le jus d'un demi-citron vert. Garnissez le fond des verres.

3 Trempez les feuilles de gélatine dans un grand volume d'eau froide. Dans une casserole, portez à ébullition le lait de coco avec la crème, ajoutez le sucre cassonade, puis les feuilles de gélatine.

4 Coulez dans les verres une couche de crémeux à la noix de coco. Faites prendre au réfrigérateur pendant au moins 2 heures. Complétez vos verres de granité au rhum.

variante
Ajoutez des copeaux de noix de coco séchée avec les cubes d'ananas.

 truc de cuisinier
Montez vos verrines à l'avance, puis ajoutez le granité au rhum juste avant de servir.

Soupe de kiwi au Malibu®

coût peu élevé • très facile à réaliser • préparation : 10 min • pour 4 personnes

1 mixer
2 petites assiettes
4 verres

6 kiwis
10 cl de lait de coco
5 cl de Malibu®
1/2 citron vert
1 cuil. à soupe de cassonade
2 cuil. à soupe de noix de coco râpée
5 cl de sirop (au choix)
4 congolais

Dans une petite assiette, versez le sirop. Dans l'autre disposez la noix de coco râpée. Trempez très légèrement le haut du verre dans le sirop, puis dans la noix de coco râpée.

Épluchez les kiwis. Mixez-les avec le lait de coco, le Malibu®, le sucre cassonade et le jus du citron vert.

Versez dans vos verres la soupe de kiwi. Ajoutez par-dessus les congolais concassés grossièrement.

Soupe de melon à la verveine

coût peu élevé • très facile à réaliser • préparation : 10 min • pour 4 personnes

1 cuillère à pomme parisienne
1 mixer
4 verres

1 melon
1/2 citron
1 cuil. à soupe de cassonade
5 cl de muscat
1 petit bouquet de verveine fraîche
4 framboises pour le décor

Coupez le melon en deux dans le sens de la largeur. Prélevez dans la chair du melon 12 billes à l'aide d'une cuillère à pomme parisienne. Réservez au frais.

Mixez le restant de la chair avec le jus du demi-citron, la cassonade et le muscat.

Gardez 4 belles feuilles de verveine pour le décor. Ciselez très finement le restant de la verveine et ajoutez-le à la soupe de melon. Versez la soupe de melon dans vos verres, déposez les billes de melon. Décorez avec une framboise et une feuille de verveine.

Véritables tiramisus au café

coût peu élevé • facile à réaliser • préparation : 20 min • réfrigération : 2 h • pour 4 personnes

3 saladiers
1 fouet
4 verres

1 grande tasse de café chaud

20 biscuits à la cuiller

3 jaunes d'œufs

100 g de sucre

20 cl de crème liquide très froide

200 g de mascarpone

1 gousse de vanille

2 feuilles de gélatine (4 g)

1 cuil. à café de cacao

1 Trempez les biscuits dans le café chaud, retirez-les immédiatement.

2 Trempez les feuilles de gélatine dans un grand volume d'eau froide. Fouettez les jaunes d'œufs avec le sucre, faites-les tripler de volume. Réservez.

3 Dans un saladier montez la crème liquide en chantilly. Dans un autre saladier fouettez le mascarpone, grattez la gousse de vanille fendue en deux et ajoutez-la au mascarpone. Faites fondre les feuilles de gélatine au micro-ondes, mélangez le tout vigoureusement. Ajoutez les jaunes d'œufs montés, puis incorporez délicatement la crème Chantilly.

4 Déposez au fond des verres une couche de biscuits à la cuiller, puis une couche de mousse au mascarpone, renouvelez l'opération 1 fois. Saupoudrez de cacao. Réservez au réfrigérateur au moins 2 heures.

variante
Ajoutez quelques framboises dans la crème au mascarpone.

 truc de cuisinier

Faites les tiramisus la veille, ils n'en seront que meilleurs !

Verrines à l'orange et au Grand Marnier

coût moyen • facile à réaliser • préparation : 20 min • réfrigération : 1 h • pour 4 personnes

2 bols
1 saladier
1 fouet
4 verres

4 oranges

4 tranches de pain d'épices

1/2 l de crème anglaise en brick

25 cl de crème liquide très froide

4 feuilles de gélatine (8 g)

5 cl de Grand Marnier

4 feuilles de menthe

1 Trempez les feuilles de gélatine dans un grand volume d'eau froide.

2 Pelez à vif les oranges, détaillez les segments. Réservez le jus. Disposez les segments au fond des verres. Détaillez 4 disques de pain d'épices de la taille des verres, imbibez-les avec le jus d'orange, ajoutez-les dans les verrines.

3 Faites chauffer au micro-ondes les feuilles de gélatine avec le Grand Marnier (environ 40 secondes), ajoutez-les à la crème anglaise.

4 Montez la crème liquide en chantilly, incorporez-la délicatement à la crème anglaise. Complétez les verrines. Décorez avec une feuille de menthe.

variante
Mélangez les segments d'oranges avec un peu de confiture d'oranges.

 truc de cuisinier
Mettez la crème liquide, ainsi que votre saladier, 10 minutes au congélateur avant de la monter en chantilly.

Verrines au pamplemousse et à la rose

coût moyen • facile à réaliser • préparation : 20 min • cuisson : 5 min • réfrigération : 1 h • pour 4 personnes

1 casserole
2 saladiers
1 fouet
4 verres

1 cuil. à soupe d'eau de rose

1,5 feuille de gélatine (3 g)

10 cl de crème liquide très froide

4 sablés bretons

2 pamplemousses roses

4 pétales de rose (non traités)

Pour la crème pâtissière :

25 cl de lait

3 jaunes d'œufs

50 g de sucre

40 g de farine

1 Faites bouillir le lait dans une casserole. Dans un saladier mélangez les jaunes d'œufs avec le sucre, puis ajoutez la farine. Versez dessus le lait bouillant, mélangez, et portez à nouveau le tout à ébullition en remuant sans arrêt. Débarrassez la crème pâtissière dans un saladier, réservez au frais.

2 Pelez à vif les pamplemousses. Répartissez les segments au fond des 4 verres. Disposez par-dessus dans chaque verre un sablé breton brisé grossièrement.

3 Trempez les feuilles de gélatine dans un grand volume d'eau froide. Mélangez la crème pâtissière au fouet afin qu'elle soit bien lisse. Chauffez au micro-ondes l'eau de rose avec la gélatine (30 secondes). Ajoutez à la crème pâtissière, mélangez.

4 Montez la crème liquide en chantilly, mélangez-la délicatement à la crème pâtissière. Complétez les verrines avec la mousse. Réservez-les au frais au moins 1 heure. Décorez avec un pétale de rose.

variante

Mélangez les segments de pamplemousses avec un peu de confiture de roses.

 truc de cuisinier

Remplacez la farine par de la fécule de maïs pour obtenir une crème plus fine au goût.

Verrines aux fruits rouges

coût moyen • facile à réaliser • préparation : 20 min • réfrigération : 1 h • pour 4 personnes

2 saladiers

4 verres

200 g de mélange de fruits rouges

150 g de fromage blanc

15 cl de crème liquide

50 g de sucre

1 gousse de vanille

2 feuilles de gélatine (4 g)

8 macarons

15 cl de coulis de fruits rouges

4 framboises pour le décor

1 Garnissez le fond des verrines avec le mélange de fruits rouges. Déposez un macaron.

2 Trempez les feuilles de gélatine dans un grand volume d'eau froide. Dans un saladier mélangez le fromage blanc avec le sucre et la gousse de vanille fendue en deux et grattée. Ajoutez la gélatine fondue au micro-ondes (40 secondes).

3 Montez la crème liquide en chantilly, incorporez-la délicatement au fromage blanc. Complétez vos verrines. Laissez prendre au réfrigérateur pendant au moins 1 heure.

4 Ajoutez le coulis de fruits rouges, décorez avec un macaron et une framboise.

variante
Remplacez le fromage blanc par du mascarpone.

 truc de cuisinier

Réalisez vous-même le coulis de fruits rouges : faites cuire 200 g de framboises et 100 g de fraises avec une cuillerée à soupe de sucre et un peu d'eau. Mixez et passez le coulis au tamis pour éliminer les pépins.

Verrines mangue et chocolat au lait

coût moyen • facile à réaliser • préparation : 15 min • cuisson : 10 min • pour 4 personnes

1 casserole
1 poêle

100 g de chocolat au lait
100 g de lait
100 g de crème
20 g de sucre
30 g de cacahuètes
1 mangue
30 g de sucre
5 cl de jus de fruits multivitaminé
1 gousse de vanille

Dans une casserole, portez à ébullition le lait et la crème, puis ajoutez le sucre et le chocolat au lait. Mélangez. Ajoutez les cacahuètes hachées. Versez à mi-hauteur dans les verres. Réservez les verres au frais.

Lavez et épluchez la mangue. Coupez-la en gros cubes (1 cm). Faites chauffer votre poêle (elle doit être presque fumante), ajoutez en pluie le sucre, puis les cubes de mangue. Faites-les caraméliser légèrement, ajoutez la gousse de vanille fendue en deux et grattée, puis le jus de fruits. Laissez compoter pendant 5 minutes. Laissez refroidir, et complétez vos verrines.

Verrines pêches et chocolat blanc

coût peu élevé • facile à réaliser • préparation : 15 min • cuisson : 10 min • pour 4 personnes

1 casserole
1 mixer

4 pêches jaunes
1 trait de sirop de grenadine
20 g de beurre
1 cuil. à soupe de sucre cassonade
4 boules de glace au chocolat blanc
10 cl de crème liquide
10 cl de lait

Lavez et épluchez les pêches. Coupez-les en huit. Faites chauffer la casserole, ajoutez le beurre, le sucre, les quartiers de pêches et le trait de sirop de grenadine. Faites-les revenir à feu doux pendant 10 minutes.

Disposez les pêches au fond du verre. Mixez la glace au chocolat blanc avec le lait et la crème. Complétez les verrines.

Verrines de poires et caramel beurre salé

coût moyen • facile à réaliser • préparation : 20 min • cuisson : 5 min • réfrigération : 1 h • pour 4 personnes

1 casserole
1 poêle
4 verres

4 poires
20 g de cassonade
2 yaourts
4 sablés bretons
100 g de sucre
100 g de crème liquide
40 g de beurre salé
40 g d'amandes hachées

1 Réalisez le caramel au beurre salé : faites chauffer une casserole, ajoutez le sucre, faites caraméliser, en remuant de temps en temps. Déglacez avec la crème liquide, laissez cuire 2-3 minutes. Ajoutez le beurre salé. Réservez au frais.

2 Lavez et épluchez les poires, coupez-les en quatre, puis taillez-les en fines lamelles. Faites-les revenir dans une poêle avec la cassonade. Laissez cuire environ 5 minutes. Ajoutez les amandes hachées.

3 Disposez au fond du verre quelques lamelles de poires. Nappez de caramel. Ajoutez une couche de yaourt, puis le sablé breton.

4 Ajoutez une autre couche de yaourt, puis une couche de poires, nappez de caramel. Décorez avec quelques amandes hachées.

variante
Remplacez les poires par des pêches.

 truc de cuisinier
Ajoutez dans votre caramel au beurre salé un peu de fleur de sel pour renforcer le contraste.

Milk-shakes fraise banane

coût peu élevé • très facile à réaliser • préparation : 10 min • pour 4 personnes

1 mixer
1 bol
4 verres

Coupez en petits cubes un tiers des fraises. Faites de même avec un tiers de la banane. Mélangez les deux dans un bol. Répartissez ce mélange dans les 4 verres.

4 boules de glace vanille
10 cl de crème liquide
10 cl de lait
150 g de fraises
1 banane
4 feuilles de menthe

Dans le bol du mixer mettez le restant des fraises et de la banane, ajoutez les boules de glace à la vanille, le lait et la crème. Mixez. Versez le milk-shake dans les verrines, décorez avec les feuilles de menthe.

Comme un Concorde

coût peu élevé • facile à réaliser • préparation : 15 min • pour 4 personnes

1 casserole
1 bol
3 saladiers
1 poche à douille
4 verres

Faites fondre le chocolat au bain-marie. Séparez les blancs des jaunes d'œufs. Dans un saladier mélangez les jaunes d'œufs avec le chocolat fondu. Dans un autre saladier, montez les blancs d'œufs en neige, ajoutez le sucre. Mélangez les blancs d'œufs en neige au premier mélange. Montez la crème liquide en chantilly, incorporez-la délicatement à la mousse.

8 petites meringues
120 g de chocolat noir
2 œufs
20 g de sucre
20 cl de crème liquide
20 g de chocolat pour le décor

À l'aide d'une poche à douille, déposez au fond des verres une couche de mousse au chocolat, puis ajoutez une meringue. Renouvelez l'opération 1 fois, terminez par une couche de mousse au chocolat. À l'aide d'un couteau Économe, réalisez des copeaux de chocolat. Décorez !

Index

Infos mesures

	1 cuil. à café rase	1 cuil. à soupe rase
Mesures canadiennes	1 teaspoon (tsp)	1 tablespoon (TBSP) - ½ oz
Farine	5 g	15 g
Sucre	6 g	20 g
Liqueur	0,5 cl ou un trait	1,5 cl
Fécule	5 g	15 g
Vin / eau	0,5 cl	1,5 cl

Collection Toquades de First

Pour tous les toqués de cuisine !

Au bon pain
100 % machine à pain
Philippe Chavanne

Cakes salés et sucrés
Héloïse Martel

Carrément plancha
et barbecue
Héloïse Martel

Charlottes rigolotes !
Nicole Renaud

Chic, du chocolat !
Faïza Mebazaa

Cocottes minus !
Frédéric Berqué

Croques,
tartines et bruschettas
Héloïse Martel

Cuisine bling bling
Marie-Claire Frédéric

Cupcake Academy
John Jordan

Douceurs de Noël
Nicole Renaud

Easy smoothies
Olivier Severyns

Effeuillez-moi !
Marie-Claire Frédéric

En deux coups
de cuillère !
Frédéric Berqué

Foie gras follies !
Nicole Renaud

Gratins !
Valéry Drouet

Joyeuses verrines !
Nicole Renaud

La cuisine
des p'tits chefs

La ronde des macarons
Marie-Claire Frédéric

Les cafés gourmands
Valéry Drouet

Le temps d'un éclair
Marie-Claire Frédéric

Madeleine,
ma petite reine
Julie Schwob

Mamma miam !
Christian Cine

Mini-brochettes
Maya Barakat-Nuq

Mini-cocottes & Co
Frédéric Berqué

Mini-vapeur
Christian Cine

Mini verres, maxi délices !
Frédéric Berqué

Mon p'tit bistrot
Valérie Duclos

Papillote surprise
Frédéric Berqué

Petites crèmes
et tiramisus !
Arnauld Baratto

Recettes pour bébé
Martine Wäller

Slunch
Nicole Renaud

So crumble !
Julie Schwob

Soirée mousse
Frédéric Berqué

Soupes !
Nicole Renaud

Sublimes terrines
Nicole Renaud

Sur un air de cappuccino
Valérie Maréal

Sushi & sa chimie
Sushi Shop

Tatins renversantes
Thierry Roussillon

Ultra-fondant
Marie-Claire Frédéric

Un amour de dîner
Thomas Feller

Un parfum de tajine
Thierry Roussillon

Verrines
frisson garanti !
Frédéric Berqué

Verrines qui friment
Thomas Feller

Wok'n roll
Chef Simon

Yaourts tout doux
Caroline Wietzel